Les aventures d'OOK ET GLUK

Les Kung-Fu des cavernes en mission dans le futur

GEORGES BARNABÉ ET HAROLD HÉBERT

Texte français d'Isabelle Allard

Éditions SCHOLASTIC

Pour Connor Mancini

Avis aux parents et aux enseignants
Les fôtes d'ortograf dent les BD de Georges et Harold *son vous lues.*

DÉMENTI
SCIENTIFIQUE

par le professeur
Gaspard L. Labrecque

Le livre que tu as entre les mains contient de nombreuses bêtises et erreurs scientifiques.

Par exemple, les dinosaures et les hommes des cavernes n'ont pas vécu à la même époque. Les dinosaures vivaient plus de 64 millions d'années AVANT les hommes des cavernes.

Et je suis bien placé pour le savoir! En 2003, j'ai reçu le prix du Plus Génial Homme de Science du Monde Entier au Complet.

Alors, tu vois!

Professeur Gaspard L. Labrecque

Démenti de démenti scientifique

Georges et Harold

Les savants pensent qu'ils savent tout!

Ce n'est pas vrai!

Ils font des zipotaises à partir de preuves déjà découvertes.

J'appelle ça des « théories » pour leur donner plusse d'importance.

← génie

Mais il y a de nouvelles découvertes chaque jour!

Donc, la « vérité » change tout le temps!

Eureusemant, on a une machine à remonter le temps.

P'tit coin mauve inc.

On est allés dans le futur et dans le passé!

On a découvert plein de choses que les savants ne savent pas... **ENCORE!!!**

Par aiguezemple : quelques dinosaures ont vécu en même temps que les hommes des cavernes!

Hé!

Coucou!

Mais les savants vont juste le découvrir en 2073!

Alors, si tu cherches des zipotaises, il y a plein de livres là-dessus.

L'origine des zipotaises

Histoire des zipotaises

Ou tu peux lire le premier livre basé sur des <u>faits</u> scientifiques!!!

5

CHAPITRES

1. Voici Ook et Gluk.......7

2. Les Gouzigouza
contre-attaquent ... 41

3. L'entraînement..........71

4. La quête des héros.... 95

5. La terreur des
mécasaures..... 123

6. Chicane de famille.... 145

Épilogue................166

Les aventures de OOK ET GLUK

Les Kung-Fu des cavernes en mission dans le futur

CHAPITRE 1

Voici Ook et Gluk

Voici Dok Shadowski et Gluk Jasmin.
Dok, c'est le gars à gauche avec une
dent manquante et les cheveux gras.
Gluk, c'est celui de droite avec les taches
de léopard et la coupe afro.

Souviens-toi
de ça!

Ook et Gluk vivaient jadis, en l'an
500 001 avant J.-C., dans un village
appelé Caverneville.

Bienvnu à
Caverneville

Dok et Gluk étaient de grands amis.

Ils avaient vécu toutes sortes d'aventures depuis qu'ils étaient des bébés des cavernes.

Ha-ha!

PRRRRT!

GRRR!

À l'âge de 3 ans, ils ont descendu une chute sur un rondin.

Ouiiiiiii!

Aïe! Moi bwisé dent!

À 7 ans, ils ont presque été mangés par Mog-Mog, le plus redoutable des dinosaures du coin.

Une fois, ils sont même allés dans le futur, ont appris le kung-fu et sauvé un village de vilains robots et de bizarroïdes d'une autre époque!

Mais avant de te raconter cette histoire, on va te raconter **CELLE-CI.**

Regardez!
Moi inventer lance!

BOUM

Regardez!
Moi découvrir
FEU!

Vroum

13

Ces deux gars énerver moi! Moi aller sur trône et relaxer!

Qu-quoi?

DOK ÉTAIT ICI

GLUK ÔSSI

GARDES!

Nous voici, chef Couci-couça.

Mon nom pas être Couci-couça, mais Gouzigouza! Combien de fois moi devoir le répéter?

Désolés, chef Guili-guili.

14

Trône profané pendant vous faire niaiseries!

OOK ÉTAIT ICI GLUK ÒSSI

Ouais, et quelqu'un aussi écrire sur ta chaise.

Moi donner leçon à Ook et Glook.

Son nom pas Glook, mais Gluk.

Ça rimer avec « tuque ».

Moi pas vouloir savoir avec quoi ça rime! Arrêtez-les!!!

ZONG

Ils partent les arrêter.

Ça rime aussi avec « truc ».

Et « duc ».

15

Une heure plus tard, ils arrivent chez Dok et Gluk.

Oh, et « viaduc ».

Et aussi « nuque ».

Shadowski

Jasmin

Sortez, vous être en état d'arestacion!

En entendant ça, Gak, la sœur d'Ook, plaide leur cause auprès du chef.

Ayez pitié, et tout le tralala!

Houba houba! Moi être en amour!

DÉGUEU

Toi vouloir épouzer moi?

Non, espèce d'idiot!

16

Pssit! Elle pas aimer toi, chef Godzilla.

Mon nom Couci-Couça, heu, Gouzigouza! Toi mélanger moi!

Écoute, chose, toi épouzer moi demain ou moi jeter Gluk et Oque en prison!

Son nom Dok, pas Oque.

Ça rimer avec « bouc ».

PARTONS!

Bouh Hou Hou! Moi devoir marier cette andouille?

Et avec « chinook ».

Et « Mouc-Mouc ».

17

Toi pas t'en faire, Gak. Nous trouver solution.

Dok et Gluk réfléchissent toute la journée...

Et toute la nuit.

Le lendemain, ils n'ont toujours pas de solution

Allons marcher pour éclaircir idées.

D'ac.

Ils marchent longtemps dans la jungle.

Nous mettre fourmis rouges dans son pagne!

Non, mauvaise idée.

19

23

Mog-Mog pas méchante. Elle vouloir juste protéger bébé.

Ook et Gluk tristes.

Moi aussi

Hé, nous sauver Mog-Mog!

Dac.

Attrape!

Tiiiire!

CRAC!

Quoi faire maintenant?

Gluk avoir idée.

Toi attendre ici, bébé Mog-Mog. Nous revenir.

Où nous aller?

À caverne des gorilles.

DANGER
SABLES
MOUVANTS

?

APRÈS

Caverne des gorilles

En voilà un! Allez, nous insulter lui!

Hé, sale face crasseuse!

Hé, haleine de couche sale!

Oui, toi, pieds puants!

27

GRRRRR

DANGER
SABLES
MOUVANTS

Moi pense que nous avoir nouveaux amis.

Moi aussi.

Hé, nouveaux amis peuvent aider Gak!

Ouais!

Allons-y!

Entre-temps à Caverneville, un mariage a lieu.

Chef Gorgonzola, toi vouloir prendre Gak...

Mon nom Gouzigouza!

Ah oui. Toi vouloir prendre Gak comme femme des cavernes?

Moi vouloir.

Gak, toi vouloir prendre chef... heu...

...toi vouloir prendre ce petit bonhomme comme mari des cavernes?

Pas question!

Bébé Mog-Mog, toi voir gars avec nez pointu?	Attaque lui!

AVERTISSEMENT

La sèksion suivante contient de la violence et ne convient pas aux adultes sansibles et aux personnes pas très amusantes.

Tourne-o-rama

Voici comment ça marche!!!

ÉTAPE Nº 1

Place la main gauche sur la zone marquée « MAIN GAUCHE » à l'intérieur des pointillés. Garde le livre ouvert et bien à plat.

ÉTAPE Nº 2

Saisis la page de droite entre le pouce et l'index de la main droite (à l'intérieur des pointillés, dans la zone marquée « POUCE DROIT »).

ÉTAPE Nº 3

Tourne rapidement la page de droite dans un mouvement de va-et-vient pour que les dessins aient l'air animés.

(Pour encore plus de plaisir, tu peux faire tes propres effets sonores!)

35

Tourne-o-rama 1

(pages 37 et 39)

N'oublie pas de tourner seulement la page 37. Assure-toi de pouvoir voir les dessins aux pages 37 et 39 en tournant la page dans un mouvement de va-et-vient.

Si tu fais le mouvement assez vite, les dessins auront l'air d'un seul dessin animé.

N'oublie pas de faire tes propres effets sonores!

Main gauche

Croque-monsieur

Pouce
droit

Croque-monsieur

CHAPITRE 2

Cinq jours plus tard, l'ex-chef Gouzigouza est sur le point de faire une découverte surprenante.

Et avec Bac.

Et flaque.

Toi avoir dit flaque hier.

Exact.

Hé, où passés arbres?

Ils suivent les arbres manquants très longtemps.

SOUDAIN

Nom d'une...

Regardez, des hommes des cavernes!

Celui au nez pointu ressemble à M. Gargantua!!!

C'est Gouzigouza, espèce de crétin!!!

Pardon, patron.

Hé!

43

Toi être qui?

Je suis J.P. Gouzigouza.

Je suis le PDG des Entreprises Gouzigouza, la compagnie la plus diabolik du monde.

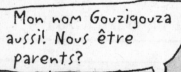

Mon nom Gouzigouza aussi! Nous être parents?

Bien surre! Tu dois être mon ancêtre des cavernes!

Quoi être ces trucs bizarres? Moi jamais voir ça avant!

Suis-moi. Je vais te montrer.

Ces trucs bizarres sont des machines du futur.

Pas vrai!

Vrai! J'ai une machine à remonter le temps. Je m'en sers pour voler des choses.

Super! Moi aimer voler!

Cette machine nous permet de piller la terre et d'écraser ceux qui sont sur notre chemin.

Ha, ha! Mauvais faire chaud au cœur.

500 001 av. J.-C.

Regarde bien : ici, on est en 500 001 avant J.-C. Mais si on traverse ce portail...

45

... on se retrouve en 2222.
Voilà d'où je viens. Bienvenue au siège
social des Entreprises Gouzigouza.

Tiens, voici une
tasse et un tapis
de souris gratuits.

Super.

Mais moi pas
comprendre à quoi
servir portail?

Eh bien, en 2222, toutes les ressources naturelles sont épuisées.

Il n'y a plus d'arbres ni de pétrole, l'eau est polluée, et blablabla.

On utilise cette machine pour voler les arbres, le pétrole et l'eau de l'époque des cavernes!

On les ramène à l'ère moderne pour les vendre avec un gros profit. À la tienne!

Hum. Cela sembler irresponsable. Moi aimer ça!

Tu sais, papi, j'aime ta façon de penser. Veux-tu travailler pour moi?

D'ac.

Super! Tu es enbôché. On n'arrêtera pas avant d'avoir volé tous les arbres, le pétrole et l'eau du passé!

Toi vouloir esclaves, aussi?

Esclaves?

Ouais. Moi savoir où trouver village hommes des cavernes.

Génial! Ha, ha, ha!

PLUS TARD

(dans la partie précédente de notre histoire...)

Dis donc, Caverneville plus agréable sans chef Gouzigouza.

Ouais. Avenir sourire à nous, et tout ça.

Vie à Caverneville être plus facile, mintenan.

BOUM BOUM BOUM BOUM

C'est quoi ce bruit?

50

Tourne-
o-rama **2**

Main
gauche

Mal-en-poing

Pouce droit

Mal-en-poing

Les habitants de Caverneville marchent pendant des jours. Puis ils arrivent à la machine du futur.

Esclaves! Prendre pelle et creuser!

BIENTÔT...

Zut, moi détester être esclave.

Hé!!!

Moi aussi.

Voilà deux provocateurs. Eux parfaits pour expérience torture.

Hum. Quelle bonne idée!

57

58

60

ARRÊTEZ-LES!

Entre-temps...

SORTIE

Nos héros sont en fuite dans une étrange ville futuriste du futur.

Les voilà!

Arrêtez ou je tire!

Moi aussi!

Nous nous cacher derrière pancarte.

Notre

gratte
gratte

Ils sont partis par là.

Vous pouvez vous cacher dans mon école.

Hé, merci!

ORDURES

MAÎTRE WONG
ÉCOLE DE
KUNG-FU

Ce soir-là, la fille de maître Wong, Lan, a préparé un grand repas. Dok et Gluk racontent tout.

Quoi faire maintenant?

Hum...

Vous devez rester ici et apprendre le kung-fu.

Quand vous serez prais, vous pourrez aider votre famille et vos amis.

Comment? Compagnie de Gouzigouza être si grande! Et nous si petits!

Il n'y a rien de grand ni de petit.

Hein?

Regardez ce bébé dinosaure. Est-il petit ou grand?

Facile. Petit.

Posons la même question à la coccinelle.

Yo, il est grand!

Grand et petit sont des contraires. Comment les deux peuvent-ils être vrais?

Grand et petit, ça ne veut rien dire. C'est juste dans votre esprit.

Vous devez regarder au-delà de la surface pour voir ce qui est vrai. Regardez dans votre for intérieur et celui des autres.

Ouf, filosofie donner mal à la tête.

Ouais. Ça c'est être normal.

70

Chapitre 3

L'entraînement

Hé, quel est le nom de votre dinosaure?

Hum... pas vraiment de nom.

Bon, je vais l'appeler Lili, alors.

D'ac.

Aujorduit, on commence votre entraînement. Que voulez-vous apprendre?

72

À battre.

Moi aussi.

Être violent, c'est être faible. La voie de la violence n'a aucun sens.

Ah là là!

Si vous voulez vraiment améliorer les choses, vous devez suivre la voie de la paix.

Voici des ceintures blanches. Ce sont des sinbolles de votre entraînement.

Génial.

Quand nous pouvoir utiliser lances et couteaux?

Ceux qui désirent la paix ne doivent pas avoir d'armes.

Le modeste couteau qui tranche le pain tranche aussi la chair.

La simple hache qui coupe le bois coupe aussi les os.

Tchoc

La lance qui tue le poisson peut aussi tuer un homme.

Mais l'homme de paix ne doit pas être faible.

Chacun de ses doigts devient un poignard...

Tchac

Tchoc

Chaque bras est une lance...

et chaque main est une hache.

CRAC

Quand nous avoir nunchakus?

TAP

75

Les meilleurs combattants ne montrent pas leur colère.

Les grands guerriers gagnent sans se battre.

Le saule est souple. Il ne combat pas la tempête... mais il survit.

L'argile prend la forme d'un bol...

Des rondins forment une maison.

Mais c'est l'espace qu'ils contiennent qui les rend utiles.

Alors, il faut écouter l'espace en nous.

Pschitt

Ploc

PLOUF

79

Ook et Gluk étudient les maths, la science la gramère, l'ortograf et la chimie.

Ils étudient aussi des choses importantes.

La musique et l'art sont comme la nourriture et l'air.

Nul ne peut vivre sans eux.

Même quand Ook et Gluk n'étudient pas,
ils apprennent des choses.

Vos esprits sont libres
de suivre leur propre
voie. Ils peuvent
s'élever vers le ciel
ou pourrir en prison.
C'est à vous de choisir.

Celui qui conquiert son esprit est le plus
grand des guerriers.

L'esprit est plus fort que
la matière. Il peut vaincre
un adversaire, même puissant.

81

Dok et Gluk s'entraînent chaque jour.

Ils deviennent très bons.

Tourne-o-rama 3

Main gauche

Fous du kung-fu

Pouce
droit

Fous du kung-fu

Même Lili essaie d'apprendre le kung-fu... mais chaque fois qu'elle pivote, elle a la nausée.

Tourne-o-rama 4

Main gauche

Lili vomit!

Pouce
droit

Lili vomit!

Les mois passent. Finallemand, Ook et Gluk se sont entraînés pendant un an.

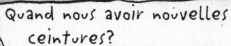

Quand nous avoir nouvelles ceintures?

Ouais. Blanches plus si géniales.

Maître Wong réfléchit longtemps, puis il leur pose une kestion.

Qui est le plus grand homme?

Heu...

Vous?

Non! Pas de nouvelles ceintures.

Ah, zut!

Une autre année s'écoule. Puis Dok et Gluk demandent d'autres ceintures.

Nous vouloir ceintures noires!

Quoi faire pour avoir ceintures noires?

Maître Wong leur pose la même kestion.

Qui est le plus grand homme?

Heu...

Hum...

Roi?

Président?

Non! Pas de ceintures noires!

Zut!

91.

Un an plus tard, la même chose se produit.

Allez, vous dire oui!

Même ceinture mauve être mieux

Maître Wong leur demande encore :

Qui est le plus grand homme?

Moi?

Moi aussi?

Non. Pas de ceinture mauve!

Flûte.

Les années passent. Ook et Gluk deviennent grands et forts.

Même la dent d'Ook repousse.

Moi très beau.

C'est toi qui le dis!

Durant ce temps, ils ne trouvent jamais qui est le plus grand homme.

Ancêtre?

Non.

Pape?

Non.

Prof?

Non.

Artiste?

Non.

Popeye?

Non.

Une femme?

Non.

Lili ne grandit pas beaucoup. Elle n'apprend jamais à tourner sans vomir.

Papa, la vadrouille!

ChAPiTre 4
La quête des héros

Sept ans ont passé. Ook et Gluk sont devenus des hommes.

Temps venu d'affronter destin.

D'ac.

Nous partir.

Attention, Ook! Sois prudent! Je ne veux pas qu'un malheur t'arrive!

Hé! Et nous?

Ah ouais. Vous aussi.

Merci, maître Wong. Nous faire tout pour sauver village et vaincre vilains Gouzigouza.

Que votre quête soit couronnée de suksès.

Aussi, nous savoir qui est plus grand homme.

Et qui est-ce?

Personne.

MAÎTRE V
ÉCOLE D
Ku

C'est exact.

Les titres et les trophées n'ont aucune valeur pour l'homme en paix avec lui-même.

La vraie grandeur est anonyme. Donc, le plus grand homme n'est personne.

Hum. D'accord.

Bon, nous devoir par...

Vous avez échappé quelque chose.

Oh! Ceintures noires!

Ook, Gluk et Lili traversent la ville polluée vers les Entreprises Gouzigouza.

Ceintures noires super. Mais moi inquiet.

Toi te rappeler paroles maître Wong : « N'aie pas peur et tout le reste. »

Mais eux avoir armes laser et machines à torture.

Maître Wong dit : « L'esprit est plus fort que d'autres... trucs. Le cerveau peut vaincre ennemis puissants. »

Maître Wong parler mieux que toi.

Ouais. Lui doué pour parole.

Ils atteignent bienteau leur destination.

Halte!
Qui va là!

Nous venir
en paix.

Moi vous
montrer à
me ficher
la paix.

Ooh! Pas mal
ton jeu
de mots!

Merci. Moi toujours vouloir dire ça,
mais pas avoir
l'occasion...

Hé! Où
eux sont allés?

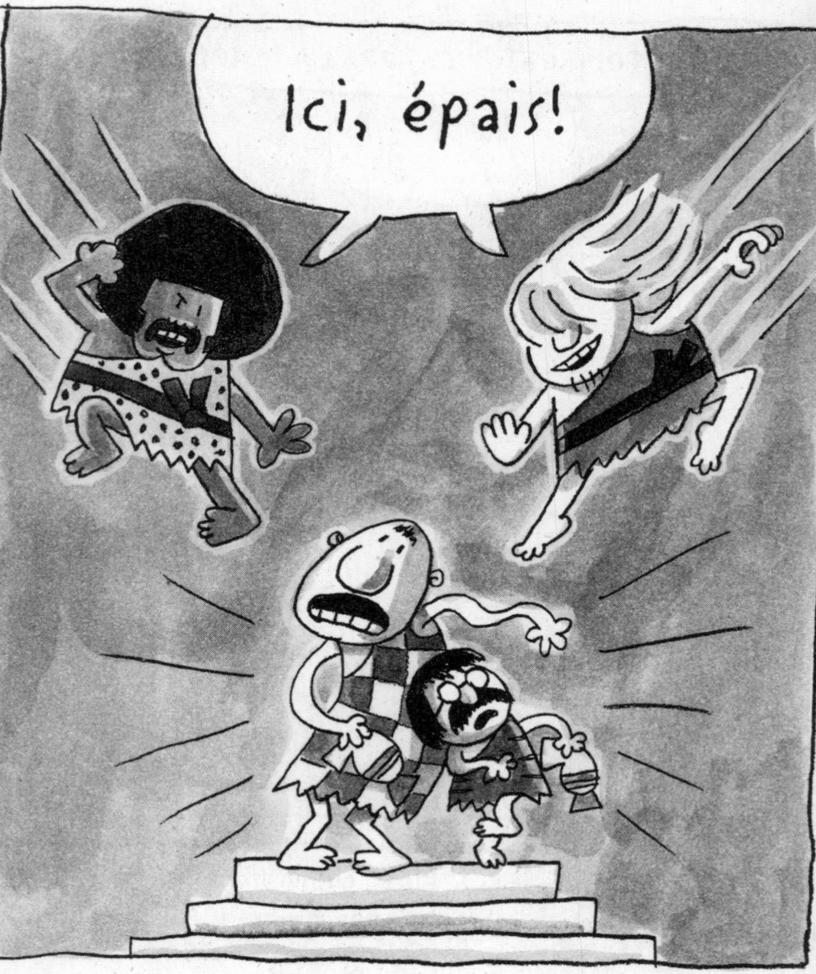

Tourne-o-rama 5

Main gauche

Ook et le plouc

Pouce droit

Ook et le plouc

Tourne-o-rama **6**

Main gauche

Le truc de Gluk

Pouce
droit

Le truc de Gluk

Ook, Gluk et Lili entrent dans l'immeuble
et cherchent le portail à remonter le temps...

110

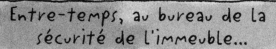

Hé, ce sont les gars des cavernes qui se sont échappés il y a sept ans!

Moniteur de contrôle

Ils ne vont pas s'échapper, cette fois!

Lâchez les robot-tueurs!

CRAC!

BOUM BOUM BOUM BOUM

Les robots-tueurs kappeturent nos héros dans leurs pinces broyeuses.

Une seule chose leur bloque le chemin.

Lili! Cours!

Sauve-toi!

116

Pas si vite!

Vous pensez que vous pouvez briser mes robots et vous en tirer comme ça?

Qu-quoi?

AVERTISSEMENT :

La scène suivante peut dégoûter certains lekteurs. Surtout ceux qui ont mangé du gruau, du maïs en crème ou du velouté de champignons.

Tourne-o-rama 7

Main gauche

Opération régurgitation

Pouce
droit

Opération régurgitation

Alors, Ook, Gluk et Lili traversent le portail sans se douter de la terreur qui les attend...

Quand Dok, Gluk et Lili entrent dans la préhistoire, ils ne reconnaissent pas leur époque.

ZAP!

499 994 av. J.-C.

Toi sûr que c'est bonne époque?

Ouais. Regarde année sur portail.

499 994 av. J.-C.

Les trois amis cherchent les habitants de Caverneville dans le pays ravagé.

Sauver amis plus dur que prévu.

Ils finissent par les trouver. Ils sont toujours esclaves.

125

Sauvons-nous!!!

Atenssion, esclaves!

Vos gardes ont été kung-futés.

126

Vous libres maintenant!

Hourra! Youpi! Super!

GLUK!!!

GAK!

Toi nous avoir sauvés! Toi brave! Toi mon héros! Mon homme! Blabla bla...

Hé! Et nous?

Ah ouais. Vous aussi.

127

TOUT À COUP...

Moi apprendre informatique en sept ans.

Moi télécharger photos de vous dans mémoire de mécasaures!

Moi programmer eux pour attaquer quand voir vos visages! Ha, ha, ha!

Attaquez!

Les mécasaures pourchassent Ook, Gluk et Lili jusqu'à l'orizon...

...et les suivent en 2229 après J.-C.

Nos trois héros filent entre les entrepôts et les magasins.

Finalleman, ils trouvent une bonne cachette.

Nous dans pétrin.

Ouais. Quand mécasaures voir nos visages, nous pas mieux que morts!

SACS EN PAPIER | SIZEAUX
COLLE | BOUTONS

PEINTURE
AMPOULES

Hum... Moi avoir idée.

SACS EN PAPIER | SIZEA

Quelle idée?

Couper trous dans sac.

Regarde! Moi mettre sac sur tête. Si mécasaures pas voir visage, eux pas tuer moi!

Hé! Idée assez nulle pour marcher!

Hé! Ça marche! Mécasaures ignorer nous!

Oh! Mon tour avoir bonne idée!

Suuuper!

Quelle idée?

Toi vas voir.

134

Les mécasaures écrasent tous les immeubles sur lesquels nos héros ont dessiné.

Mais il reste un gros immeuble qui doit être ÉCRASÉ.

Tourne-o-rama 7

Main gauche

Dinomitage!

Pouce
droit

Dinomitage!

Les Entreprises Gouzigouza et les mécasaures sont détruits. Dok et Gluk jurent de reconstruire leur monde.

ZAP

Ils renvoient le chef Gouzigouza et ses vilains travailleurs à l'année 2229 ap. J.-C.

Ah, zut!

ZAP

Mintenan, nous trouver ta maman!!

Mais avant de partir, ils voient un avion de papier arriver par le portail.

ZAP

Gluk déplie le papier et lit l'horrible message.

Atencion, Ook et Gluk,

J'ai kapturé maître Wong et sa fille. Capitulez ou ils seront tués à more!

Bien à vous,
J.P. Gouzigouza

ChaPiTRE
→6←

Chicane de famille

Dok, Gluk et Lili retournent dans le futur pour sauver leurs amis.

2229 ap. J.-C.

ZAP

Tiens, tiens, regarde qui est là!

Vous pensiez pouvoir détruire mon empire et vous en tirer comme ça?

Ouais.

C'est ça.

VOUS NE POUVEZ PAS!

Vous avez détruit ce que j'aime. Je vais détruire ce que vous aimez.

Ils étaient faciles à trouver... et seront faciles à tuer!

Non!

Laissez partir eux. Nous faire tout ce que vous vouloir.

D'accord. Mais mettez d'abord ces menottes.

D'ac.

Je sais que j'ai promis de les libérer, mais j'ai changé d'idée. Je vais tous vous tuer!

Ook et Gluk ferment les yeux. Ils pensent aux paroles sages de maître Wong.

Les grands guerriers gagnent sans se battre.

La vraie grandeur est anonyme. Donc, le plus grand homme n'est...

Finalement, Ook et Gluk ont une idée...

151

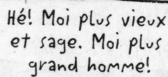

Tu es le père de mon derrière!

Quand moi avoir enfants, moi leur montrer bonnes **manières!**

Toi? Avoir des enfants? Qui va vouloir se marier avec toi? Tu as l'air d'une salière!

Moi te montrer bonnes manières!

Tu ne pourrais même pas montrer à une mouffette à puer! Vieux sot des cavernes!

Au moins, moi pas porter perruque!

153

Tourne-o-rama 9

Main gauche

La passe de la cravate

Pouce
droit

La passe de la cravate

Hé! Qu-Qu'est-ce...

Qu'est-ce qui m'arrive?

Tu as tué ton arrière-arrière-arrière-grand-père AVANT qu'il n'ait eu des enfants.

Et alors?

S'il est mort, ses enfants n'ont pas existé. Ni ses petits-enfants.

Ni toi.

Si tu n'existes pas, ta compagnie non plus.

Tout ce que tu as créé va disparaître.

Y compris nos cordes et nos chaînes.

Le monde que nous connaissions est remplacé par un monde sans aucun Gouzigouza.

Soudain, Ook et Gluk se souviennent.

Portail à remonter temps!

Nos trois héros courent vers le portail, qui est en train de disparaître.

2229 ap. J.-C.

Vite! Portail presque parti! Bye, maître Wong!

Salut, Lan!

Au revoir!

ZAP

229 J.-C.

2229 ap. J.-C.

161

Maître Wong rentre chez lui.

C'est une route qu'il a parcourue souvent.

Mais cette fois, c'est comme dans un rêve.

Mais d'une certaine manière,
je sens qu'ils seront toujours
près de moi.

ÉPILOGUE

502 223 ans
et
49 minutes
plus tôt...

Le portail disparaît et
le monde revient à la normale.

Ook, Gluk, Lan et Lili se dirigent vers Caverneville.

Bientôt, ils rencontrent une vieille amie.

Laisse tomber les informations superflues. Remplace les longs mots par des plus faciles.

Un peu de pratique!

FRANÇAIS	PATOIS DES CAVERNES
Je n'aime pas les anchois sur ma pizza.	= Moi pas aimer petits poissons.
Je vais au centre d'attractions	= Moi aller vomir dans manèges.
Grand-maman pense que ce livre n'a pas sa place à la bibliothèque.	= Grand-maman très plate.

3e leçon

Évite d'utiliser des articles comme « le, la, les, un, une, des » et des possessifs comme « mon, ma, mes ».

Un peu de pratique!

FRANÇAIS		PATOIS DES CAVERNES
Je fais des fautes.	=	Moi faire fautes.
Je n'ai pas fini le devoir de maths.	=	Moi fini devoir. Chien manger devoir.
Tu es mon meilleur ami.	=	Toi meilleur ami.

4e leçon

Évite de conjuger verbes. Bien souvent, infinitif suffit.

Un peu de pratique!

FRANÇAIS		PATOIS DES CAVERNES
Je suis né le 14 août.	=	Moi naître un jour.
Hier, j'ai nagé dans la piscine publique.	=	Moi attraper parasites jour avant aujourd'hui.
Mes voisins agaçants vont déménager ce weekend	=	Bon débarras!